TU ES CAPABLE... DE PARLER À DIEU

Jean-Jacques Gareau, o.f.m.

Éditions Paulines & Médiaspaul

DU MÊME AUTEUR :

Le Bonheur... c'est pour toi !
Mon Dieu d'Amour
Enfin... j'ai trouvé Dieu

Imprimi potest : Fr. Gilles Bourdeau, o.f.m.
Ministre provincial
le 2 mars 1992

Censeur délégué : Fr. Lionel Chagnon, o.f.m.

Composition et mise en page: *Éditions Paulines*

Photos : *Jean-Jacques Gareau*

ISBN 2-89039-556-1

Dépôt légal — 3e trimestre 1992
Bibliothèque nationale du Québec
Bibliothèque nationale du Canada

3965, boul. Henri-Bourassa Est
Montréal, QC, H1H 1L1

P. Jean-Jacques Gareau, o.f.m.
Maison du Christ-Roi
Châteauguay, QC, J6J 4G7

Médiaspaul
8, rue Madame
75006 Paris

Introduction

Beaucoup de gens désirent prier,
ils aimeraient communiquer avec Dieu,
mais, face à la pauvreté de leur langage,
et à cause du mal qu'ils ont déjà fait,
ils ne se croient pas dignes
d'être écoutés par Dieu.

Le présent volume
est une brise d'espérance
pour rappeler à chacun et à chacune
que Dieu est en amour avec tous ses enfants,
et qu'il attend qu'on se tourne vers lui
pour nous combler de sa présence.

« Tu es capable... de parler à Dieu »
ouvre des avenues toutes simples
pour montrer que la prière est à ta portée,
et que, si tu en fais l'expérience,
ton cœur deviendra amoureux,
et la vie t'apparaîtra plus belle.

La prière t'attend...
Après la lecture de ce volume
tu ne douteras plus
que tu es capable... de parler à Dieu !

Jean-Jacques Gareau, franciscain

La prière,
c'est quand on parle
à Dieu
comme à un homme.

Curé d'Ars

Tu es capable...
de parler à Dieu!

Parler à Dieu!
Ça semble impossible!
Dieu est tellement loin...
comment l'atteindre!
Il est tellement grand!
que suis-je à côté de lui...
Il est tout-puissant!
je ne suis que faiblesse...
Quel langage peut-il bien comprendre!
Comment l'intéresser à mes problèmes...

Pourtant, tu es capable... de parler à Dieu!
Dieu t'a créé à son image:
tu es «amour» comme lui.
Il t'a donné un cœur qui ressemble au sien.

Laisse parler ton cœur:
dis à Dieu ce que tu ressens.
Il est en amour avec toi:
il désire t'entendre,
il a aussi des choses à te dire.

Et c'est ça qu'on appelle «prier»:
parler à Dieu avec son cœur
... et l'écouter.
La prière, c'est donc une histoire d'amour!

Ton histoire d'amour

Quand tu as commencé à aimer,
te souviens-tu des changements
qui se sont opérés en toi?
Ce fut radical.
Tes proches ne te reconnaissaient plus.
Tes habitudes et ton raisonnement
avaient changé
à cause de l'autre...
qui avait conquis ton cœur!

À partir de ce jour,
tu ne pensais qu'à l'autre...
qui faisait battre ton cœur!

Ton bonheur était d'être avec l'autre
qui te comprenait si bien!

Tu avais hâte de finir ta journée de travail
pour être ensemble!

Le seul fait de penser à l'autre
te donnait du courage
pour réaliser tes travaux!

Tu te surpassais en ingéniosité
pour lui faire plaisir!

Tu bravais même les tempêtes
pour ne pas manquer un rendez-vous!

Tu étais attentif à ses paroles
qui te révélaient un coin de son cœur!

Tu adorais les tête-à-tête à la chandelle
qui te transportaient
dans un monde de mystère!

Tu faisais des projets
pour les réaliser à deux!

Ensemble, le temps était toujours trop court;
même dans le sommeil,
tu rêvais à l'autre que tu aimais!

Quand on est en amour,
on pense toujours avec son cœur
qui est rempli... de l'être aimé!

Prier, c'est comme ça:
tu dois toujours penser
avec ton cœur
qui est rempli... de Dieu!

Prier, c'est le langage des amoureux

Prier, ça suppose
que je suis en amour avec Dieu
ou que je veux le devenir!

Or l'amour, ça se cultive:
mieux je connais l'autre
plus je peux l'aimer.

Dois-je me surprendre
que Dieu m'aime d'un amour infini
lui qui connaît mes désirs les plus secrets?

Non seulement il m'a créé,
mais il me donne la vie à chaque instant.

Dieu est en amour avec moi
... et il attend ma réponse d'amour !

De mon côté, si je veux connaître Dieu,
je dois le fréquenter,
je dois l'écouter,
je dois lui parler...

* Je dois FRÉQUENTER Dieu :
ça veut dire le « rencontrer ».
Parmi les lieux privilégiés
pour ces rencontres,
il y a les sacrements
(Eucharistie, Pardon...)

Je peux le rencontrer
dans un groupe de croyants
(lors d'une réunion...).

Je peux aussi le rencontrer seul
(n'importe où).

✶ Je dois ÉCOUTER Dieu:
Dieu me parle dans la Bible.
Je dois me réserver du temps
pour cette lecture
si je veux savoir ce que Dieu veut me dire.

Dieu me parle par des messagers:
la prédication à l'église en est un exemple.

Dieu se révèle d'une façon spéciale
dans le silence:
je dois donc chercher des lieux
qui sont favorables à son écoute.

✶ Je dois PARLER à Dieu:
Dieu, c'est quelqu'un de vivant, de réel,
et qui m'entend:
Il s'intéresse à tout ce qui me concerne.
Je dois lui parler
comme à un ami ou à un père,
parfois dans un langage de joie
qui exprime mon bonheur;
parfois avec des pleurs
lorsque la souffrance m'accable;
parfois dans la révolte
selon les sentiments qui m'habitent!

Toutes ces façons de parler à Dieu,
ça s'appelle «prier».

Dieu écoute toutes mes prières.
Il s'intéresse à moi
et m'aime comme je suis,
mais il me demande
d'être sincère et honnête
avec moi et avec lui.

Jésus, c'est mon modèle pour prier

Les gens ont toujours prié
depuis que la terre existe.

On a toujours pensé
qu'il y avait des êtres «supérieurs»
qui organisaient les tempêtes
et les tremblements de terre...
Les humains «priaient ces dieux»
pour être protégés
et les faire agir en leur faveur...

Mais, c'est Jésus qui va nous révéler
que Dieu est son Père et notre Père,
plein de tendresse pour chacun de nous.

La prière de Jésus, on l'appelle « chrétienne ».
C'est une prière parfaite
parce que c'est la prière de Dieu lui-même
dans un cœur d'homme.

L'Évangile nous montre Jésus qui prie
avant les actions importantes de sa vie :
à son baptême ; au début de sa prédication ;
avant le choix des Douze Apôtres ;
au moment de la Transfiguration ;
au jardin des Oliviers...

Dans ces circonstances
on ne rapporte pas les paroles de Jésus :
on souligne seulement qu'il recherche
des lieux solitaires
pour s'entretenir avec son Père
comme s'il voulait garder contact avec lui.

Un jour, les Apôtres demandent à Jésus
de leur apprendre à prier !
Or, au lieu de leur apprendre comment prier,
il leur montre « une prière » : le Notre Père.

Bien que le NOTRE PÈRE soit
une prière parfaite
parce qu'elle nous vient de Jésus,
on réalise que l'important, c'est son contenu
qui doit servir de modèle
à toutes les prières.

Dans le NOTRE PÈRE,
Jésus m'indique
qu'il faut commencer par penser au Père
avant de faire la liste
de mes besoins personnels.
Jésus me dit aussi
que la prière doit s'adresser
à Papa Bon Dieu
et qu'elle suppose un cœur d'enfant.
Dieu, c'est mon Père:
toutes les richesses sont à lui,
et il veut mon bonheur.
Moi, je suis son enfant:
je n'ai rien à moi,
mais j'attends tout de la bonté
de papa Bon Dieu.

Même si la prière de Jésus est parfaite,
je peux trouver aussi chez les humains
des façons de prier
qui vont répondre à mes besoins.

✶ Ainsi, la prière de la Vierge Marie
peut m'inspirer.
Sa prière est marquée par la foi.
Quand l'Ange lui demande
d'être la Mère de Dieu,
sa prière s'exprime par FIAT
(«que la volonté de Dieu soit faite»).
Durant toute sa vie,
alors que Jésus est incompris
par son entourage,
sa prière devient contemplation:
(«Marie gardait fidèlement
toutes ces choses en son cœur.»)
À Cana, sa prière de foi se fait toute simple:
«Ils n'ont plus de vin!»
Au pied de la Croix,
sa prière devient silence de foi.

On sent que Marie n'est jamais seule:
elle est habitée par Dieu...

✶ La prière des gens ordinaires
peut aussi m'aider:
non seulement les prières
que les saints nous ont laissées,
mais celles des enfants, des miséreux
et même des condamnés:
pensons au Bon Larron:
«Jésus, souviens-toi de moi...» (Lc 23, 42)

Jésus, c'est le Fils de Dieu

Pour Jésus,
son Père, c'est le personnage le plus important.
Il nous le rappelle souvent dans l'Évangile:
«Je dis ce que le Père m'a enseigné.»
«Celui qui m'a envoyé est avec moi.»

L'obéissance a toujours caractérisé
le comportement de Jésus:
«Je fais toujours ce qui plaît au Père.» (Jn 8, 29)

Même avec Joseph et Marie,
on résume son enfance en disant:
«Il leur était soumis.»

Dans sa prière,
Jésus a une attitude d'enfant (de fils):
L'enfant, c'est le pauvre par excellence:
il ne possède rien,
il dépend totalement de ses parents.

L'enfant vit d'abandon:
il ne se préoccupe pas du lendemain,
il ne pense pas à accumuler des biens.

L'enfant est heureux
il se sent aimé:
ses parents voient à tous ses besoins.

Jésus a une confiance absolue en son Père:
«Père, tu m'exauces toujours.» (Jn 11, 41)

Et moi, quand je prie,
si je n'ai pas un cœur d'enfant,
comment Dieu peut-il
écouter mes demandes!

Qui est le dieu que je prie!

Quand je prie, je m'adresse à Dieu,
mais de quel dieu s'agit-il?
d'un dieu de ma fabrication?
Est-ce que je prie le vrai Dieu?
ou un dieu qui n'existe pas!

✶ Le vrai Dieu n'est pas un «magicien».
Dieu ne fait pas de miracle
pour m'aider à réussir un examen
que je n'ai pas étudié.

Dieu ne fait pas de miracle
pour empêcher un accident
lorsque je suis négligent.

Dieu ne fait pas de miracle
pour raccorder mon couple
lorsque je suis infidèle.

Dieu ne fait pas de miracle
pour m'accorder une bonne santé
lorsque je fais des excès de table
ou que je néglige de me reposer.

Dieu ne répare pas les pots cassés:
Il m'a donné la liberté,
et il respecte la mauvaise utilisation
que j'en fais
lorsque je me comporte mal
ou que je nuis à son plan d'amour.

✶ Le vrai Dieu n'est pas un «commerçant»:
la prière n'achète pas les bienfaits de Dieu.
Ses bienfaits ne sont pas à vendre:
ce sont toujours des cadeaux
qu'il me donne
sans aucun mérite de ma part.

C'est saint Paul qui me le rappelle:
«Qu'as-tu que tu n'aies reçu» (1 Co 4, 7)

Ainsi «ma» santé, «mes» talents,
«mon» argent, «mes» enfants...
tout vient de Dieu.
Les seules choses qui m'appartiennent,
ce sont mes péchés...

Comment oser croire
que Dieu me doive quelque chose
comme s'il était obligé
de répondre à ma demande
parce que j'ai assisté à la messe,
j'ai fait une neuvaine,
j'ai fait une aumône à un défavorisé...

Quoi que je fasse,
je serai toujours en dette envers Dieu.

Je peux tout demander à Dieu
parce qu'il est mon Père,
mais je dois lui faire confiance
qu'il me donnera
de bonnes choses...

Pour prier,
j'ai besoin de l'Esprit Saint

La prière doit venir du cœur.
Or mon cœur est «brouillé» par le péché:
je suis attiré par le matériel,
je suis attiré vers les plaisirs humains,
j'ai de la difficulté à pardonner,
je manque souvent d'honnêteté,
je fais du tort à mon prochain,
je manque de patience...

Avec le cœur que je possède,
comment ma prière peut-elle
rejoindre le cœur de Dieu
et lui être agréable!

Il n'y a que l'Esprit Saint
qui peut présenter ma prière à Dieu
et la transformer
en lui donnant une valeur infinie.

Observons le rôle de l'Esprit Saint
dans le CORPS MYSTIQUE.
Le Corps Mystique, c'est un corps réel,
bien qu'invisible:
La relation entre ses membres
ressemble à la relation
entre les membres du corps humain.

Les membres du Corps Mystique
sont formés de tous les chrétiens
qui ont existé et qui existeront.

Sa Tête, c'est le Christ.
Or le Christ est au ciel:
donc la tête du Corps Mystique
est près de Dieu,
mais ses «pieds» sont sur terre
et c'est par ses «membres»
qu'il agit dans notre monde.

Moi qui suis «la main du Christ»,
lorsque j'accueille le malheureux,
lorsque je partage avec le défavorisé,
c'est la Tête
qui accueille et partage:
donc c'est Dieu qui agit par moi.

Moi qui suis «le pied du Christ»,
lorsque je visite un malade,
c'est la Tête qui visite et console:
donc c'est Dieu qui agit par moi.

Le Corps Mystique est animé
par un Esprit d'Amour
qui est l'Esprit de Dieu.
Ainsi la vie divine circule
à travers tous les membres de ce Corps.

De plus, l'Esprit Saint est continuellement
en adoration devant le Père
pour lui offrir
le fruit de mes bonnes paroles
et de mes bonnes actions,
le résultat de mes efforts
et de ma bonne volonté.

Ainsi, mes gestes les plus «ordinaires»
comme «donner un verre d'eau
au nom de Dieu»
de même que mes prières
les plus démunies
deviennent les prières et les gestes
de l'Esprit Saint

qui sont présentés à Dieu
comme ses gestes à lui
et ses prières à lui.

Jour et nuit, l'Esprit Saint anime la vie divine
dans tout le Corps Mystique.
Donc, continuellement,
il offre au Père, à mon insu,
la bonne volonté de celui qui dort.

À cause de cette «animation»
du Corps Mystique par l'Esprit Saint,
je ne suis jamais seul.
Lorsque je fais une bonne action,
l'Esprit Saint la réunit
à toutes les bonnes actions
du monde entier
pour l'offrir au Père.

Lorsque je prie dans le secret,
l'Esprit unit ma prière
à celles de tous les chrétiens du monde
pour en faire
une offrande divine au Père.

C'est alors que ma pauvre prière
prend une valeur infinie:
  Lorsque je suis seul dans ma chambre
  pour réciter le Notre Père,
    l'Esprit Saint l'associe
    à toutes les prières du monde entier
    pour en faire une harmonique
    d'un concert divin:
    «L'Esprit Saint vient au secours de notre faiblesse; car nous ne savons que demander pour prier comme il faut; mais l'Esprit lui-même intercède pour nous en des gémissements inexprimables...» (Rm 8, 26)

C'est, pour l'Esprit,
une façon de «parler en langues»
alors qu'il présente au Père
dans une offrande commune
  les humbles prières des humains
  dans toutes les langues
  et avec des émotions diversifiées.

C'est là que je comprends
l'importance de ma prière
qui semble pauvre à mes yeux,
mais qui, ajoutée aux prières des humains
et présentée par l'Esprit Saint,
possède une puissance infinie
sur le cœur de Dieu.

Il faut toujours prier

C'est Jésus lui-même
qui demande de «toujours prier»!
S'il le demande,
ça veut dire que c'est une chose possible!

Par ailleurs, durant sa vie,
Jésus n'est pas toujours «à genoux»
pour prier!
Il y a des moments particuliers
où il est seul à seul avec son Père.
Et, en toutes occasions,
il semble en constante union avec Dieu.

Ce serait donc ça « toujours prier » :
entretenir une union constante avec Dieu
tout en se réservant
des moments privilégiés
de cœur avec lui !

S'il faut « toujours prier »,
c'est pour entretenir avec Dieu
ma relation d'amour
qui doit être « continuelle »
pour être vivante.

« Toujours prier », ça veut dire aussi
que la prière est une pratique
qu'il ne faut jamais abandonner.

✶ Même si je n'en sens ni le goût ni le besoin,
je dois me rappeler
que ce n'est pas la sensibilité
qui donne la valeur à ma prière,
mais c'est la foi qui m'assure
que ma prière est authentique...

✶ Même si j'ai d'autres occupations importantes,
c'est la prière qui doit avoir la priorité.

C'est possible de «toujours prier»

Comme Dieu est le Créateur de l'univers,
tout peut me faire penser à Dieu
(c'est ça «prier»);
tout peut être occasion de dire merci à Dieu
(c'est ça «prier»).

Ma prière doit s'unir
à celle des autres humains,
comme à celle du sapin et des étoiles,
ainsi qu'à celle du rocher et de l'hirondelle
être offerte en hommage à Dieu
pour sa grandeur et ses bontés.

D'ailleurs, chaque être qui remplit sa fonction,
c'est sa façon de prier son Créateur.
Ainsi, le goéland qui vole dans les hauteurs,
c'est sa façon à lui de prier.
Le soleil qui éclaire et réchauffe,
c'est sa façon de prier
en accomplissant la mission
qui lui est confiée.
L'érable et la marguerite prient sans cesse
en étant témoins de l'amour du Créateur
dans leur environnement.

Le caillou abandonné au bord de la route,
prie sans le savoir,
dans la discrétion et l'humilité.

Avec les humains... c'est possible de prier

Les hommes et les femmes
doivent être pour moi occasion de prière
parce que ce sont les portraits
les plus ressemblants à Dieu.

Dieu nous a créés à son «image».
Une image, comme une photo,
ça fait penser à la personne représentée.
D'où, chaque humain
devrait me faire penser à Dieu.

D'ailleurs, chaque personne
représente un aspect du visage de Dieu:

* Quand je regarde un enfant
qui ne connaît pas le mal,
je peux admirer Dieu qui est sans tache.

✶ Quand je vois un beau gars ou une belle fille,
je peux reconnaître une «image»
de la jeunesse et de la beauté de Dieu,
et le remercier de me montrer
un échantillon de sa perfection.

✶ Quand je vois un malade souffrant,
c'est pour moi l'occasion
de penser à la Passion de Jésus,
et de le remercier de me faire participer
au salut du monde...

✶ Quand je rencontre un drogué, un alcoolique,
qui a perdu le contrôle de sa raison,
je peux voir Jésus qui succombe
sous le poids de mes fautes,
et lui demander pardon
pour les péchés du monde.

✶ Quand je roule en voiture,
pourquoi ne pas demander à Dieu
de bénir et de protéger
les gens que je rencontre!

✶ Quand je me promène sur une rue achalandée,
pourquoi ne pas présenter à Dieu
tous ces gens, avec leurs soucis!

✶ Quand je suis dans une salle d'attente
d'hôpital,
pourquoi ne pas demander à Dieu
de bénir les gens qui sont là,
en offrant au Seigneur leurs souffrances...

> Ainsi, sans qu'ils s'en doutent,
> je peux faire prier tous ces gens
> dans une prière d'offrande au Créateur.

Avec la création... c'est possible de prier

Dieu a tout créé:
c'est lui qui a fait les galaxies
et qui donne vie à la fourmi.

> Tout ce que je vois dans la nature
> doit me ramener à Dieu
> qui en est l'inventeur et l'artisan.
> Tout ce que je vois dans la nature
> me montre un aspect
> de la grandeur de Dieu.

✶ À travers le soleil qui éclaire et réchauffe
je peux voir Dieu
qui est lumière pour mon intelligence
et chaleur pour mon cœur,
et je le remercie de s'occuper de moi.

✶ À travers les étoiles qui brillent dans la nuit,
je peux voir Dieu
qui veille sur moi discrètement,
et je le remercie d'être toujours là,
même dans mes périodes d'«obscurité».

✶ À travers les nuages
qui se promènent dans le ciel,
je peux voir Dieu qui manifeste sa présence,
et je le remercie d'être toujours avec moi.

✶ À travers les lacs et les rivières
je peux découvrir
la douceur et la délicatesse de Dieu,
et je le remercie pour sa tendresse...

✶ À travers les rochers et les montagnes,
je peux découvrir un Dieu stable
sur qui je peux m'appuyer,
et j'en profite pour lui demander
d'augmenter ma foi.

* À travers les paysages d'automne,
  je peux découvrir un Dieu
    qui fait des merveilles
    avec des feuilles mortes,
  et j'en profite pour lui confier ma pauvreté.

* À travers la neige blanche,
  je peux reconnaître Dieu
    qui couvre mon péché
    de son pardon et de sa bonté,
  et j'en profite pour lui dire
    le regret de mes fautes.

* À travers le chant du pigeon,
  j'entends la plainte de Dieu
    qui soupire après mon amour...

* À travers mon chien que j'aime,
  je peux voir la fidélité de Dieu
    qui ne se dément pas,
  et je le remercie
    de pouvoir toujours compter sur lui.

* À travers le vol de l'hirondelle,
  je peux penser à l'Esprit Saint
    qui fait le lien entre le ciel et la terre,
  et je demande à Dieu de m'élever
    au-dessus des biens matériels.

✶ À travers la pluie qui tombe,
je réalise que tout vient de Dieu,
et j'en profite pour le remercier
de ses bienfaits.

Avec les événements... c'est possible de prier

Tout ce qui se passe dans le monde
fait partie d'un plan d'ensemble de Dieu,
et sert à la construction de son Royaume
qui commence ici-bas
et qui sera parfait au ciel.

Cependant, un événement négatif
demeure toujours négatif,
mais les suites peuvent devenir positives
selon ma réaction face à cet événement.

✶ Je dois donc remercier Dieu
parce que ma maladie et mon handicap,
qui m'empêchent de travailler,
m'ont donné l'occasion
d'orienter autrement ma vie,
en devenant plus calme,
en me faisant de vrais amis,
en me rapprochant de Dieu...

* Je dois remercier Dieu
pour le feu qui a détruit ma maison
et qui a été pour moi l'occasion
de me détacher des biens matériels,
tout en me donnant une énergie nouvelle
pour réorganiser
le bien-être de ma famille...

* Je dois remercier Dieu
pour le départ de mon conjoint
qui a été pour lui une libération
tout en me donnant l'occasion
de développer des talents inexploités.
Combien de personnes
ont pu s'adonner au bénévolat
et acquérir une nouvelle vitalité
à cause de la disponibilité
que leur laissait le départ du conjoint...

Dans toutes les épreuves qui m'arrivent
je dois évaluer avec l'« œil » de Dieu,
et me souvenir
que les échecs sont là pour me faire grandir
en me donnant l'occasion
de me dépasser...

Avec l'actualité... c'est possible de prier

La télévision et les journaux
rapportent à chaque jour
des événements, souvent malheureux:
nous avons là une source privilégiée
d'intentions de prières.

Qu'on pense aux épidémies, aux accidents,
à l'avortement, au sida, aux suicides,
aux viols, à la violence, aux guerres...

Laissons monter notre prière vers Dieu
pour ces gens qui sont alors concernés.

Pourquoi ne pas profiter de la même occasion
et remercier Dieu
pour ceux qui sont protégés de ces fléaux:
ceux qui sont en santé,
ceux qui n'ont pas eu d'accidents,
les mamans qui donnent la vie...

Pourquoi ne pas prier
pour la paix, la non-violence, la justice,
pour l'entente entre les couples...

Il est important que je laisse guider ma prière
par les événements qui m'entourent:
  La voisine vient d'avoir un bébé.
  Mon compagnon de travail
    a eu un accident.
  Arthur a des problèmes avec sa «colonne».
  Grand-père vient d'avoir un infarctus.
  Claude et Claudette parlent de se séparer.
  Tante Olivette doit se faire opérer.
  Il y aura bientôt des élections...

Avec la beauté «profane»... c'est possible de prier

C'est mon «œil» qui donne la signification
à ce que je regarde:

✶ Un ordinateur
  peut me faire penser au génie de Dieu
    qui contrôle tous les secrets de l'univers.

✶ Une belle voiture
  peut me faire penser à Dieu
    qui a donné l'intelligence aux humains
    afin de construire des autos
    pour mon confort, mon travail, mes loisirs.

✶ Une belle construction
peut me ramener au grand architecte
qui a créé l'univers
pour le bien-être et la joie des humains.

✶ Une peinture et une sculpture
peuvent me faire penser à Dieu
qui donne des talents variés à chacun.

✶ Une pièce musicale
peut faciliter ma communication avec Dieu
par la douceur
qu'elle fait naître dans mon cœur.

✶ Un spectacle
peut être pour moi l'occasion de louer Dieu
pour le talent du compositeur,
et le beau travail de collaboration
des acteurs.

Il me faut respecter le jugement de mon voisin.
Il peut aimer
une statue ou une image religieuse
que je trouve affreuse
sur le plan artistique!
Si cette image l'aide à prier,
je dois respecter son choix.

Toutes les façons qu'on vient d'énumérer
pour aider à « toujours prier »
supposent d'abord une intimité avec Dieu
que je ne peux obtenir
qu'en consacrant à chaque jour
un temps de prière
durant lequel je cultive
mon cœur à cœur avec lui.
Par la suite, je serai capable
de reconnaître Dieu (et le prier)
avec les humains, la Création,
et les événements...

«Toujours prier»... ça commence dès mon lever

Pour prier dès mon lever
ça suppose que mon cœur est «plein de Dieu».
S'il fait soleil, je reconnais l'œil de Dieu
qui va m'accompagner durant la journée,
et j'en profite pour le remercier d'être là.

S'il fait sombre,
je prie Dieu de m'envoyer sa lumière
pour chasser les ténèbres du mal.

Tout en faisant ma toilette,
je prends conscience
que cette journée appartient à Dieu,
et je le remercie de me choisir
comme messager
pour apporter paix et espérance
à ceux que je vais rencontrer.

Même si je ne suis pas en forme,
j'offre à Dieu mes limites et ma pauvreté,
et je lui demande
que mon attitude et mes paroles
donnent à ceux qui m'entourent
le goût d'être meilleurs!

Si j'accepte chaque journée
comme un don de Dieu,
ce sera plus facile pour moi
d'affronter les difficultés,
et je remarquerai plus facilement
les merveilles que le Seigneur fait
par moi, et pour moi.

Différents styles de prières

Il y a mille façons de prier.
C'est à chacun d'utiliser
celle qui lui convient
pour entretenir sa relation avec le Seigneur.

PRIÈRES BRÈVES

La prière «brève», c'est celle qui jaillit
comme un «je t'aime» ou un «au secours»,
et qui peut être faite
n'importe quand et n'importe où.

Elle permet d'entretenir
une relation spontanée et continuelle
avec Dieu.

✶ L'ÉVANGILE m'inspire des prières brèves:
«Seigneur, fais que je voie.»
«Seigneur, guéris-moi.»
«Seigneur, prends pitié de moi.»
«Père, que ta volonté soit faite.»
«Seigneur, si tu le veux, tu peux me guérir.»
«J'ai soif.»
«Seigneur, sauve-nous, nous périssons.»
«Seigneur, à qui irions-nous? Tu as
les paroles de la vie éternelle»
«Tu es le Christ, le Fils du Dieu vivant.»
«Jésus, souviens-toi de moi,
quand tu viendras dans ton royaume.»
«Reste avec nous, parce que c'est le soir,
et le jour déjà a baissé.»
«Mon Seigneur et mon Dieu.»

✶ Je peux moi-même IMPROVISER
des prières brèves:
Seigneur, je t'aime.
Merci Seigneur pour ta Création.
Sois remercié Seigneur pour ton soleil.
Protège, Seigneur, Alice qui est malade.

* Les MANTRAS sont des formules brèves
d'un style particulier:
Il s'agit de se concentrer
sur un mot que l'on répète sans cesse,
et qui finit par produire
le calme et la détente.
Ils sont utilisés
dans la méditation transcendantale,
et sont très populaires
dans les religions orientales.
Pourquoi ne pas utiliser
des invocations chrétiennes
à la façon d'un mantra.

La plus efficace de ces invocations
est certainement le nom de JÉSUS
qui a une puissance miraculeuse.

* On peut utiliser le nom de JÉSUS
en toutes circonstances.
On peut le réciter,
comme on peut le chanter
... sur une mélodie improvisée!

Je suis angoissé: «Jésus, Jésus, Jésus...»
J'ai une décision importante à prendre:
«Jésus, Jésus, Jésus...»
Je pose la main sur la tête d'un malade:
«Jésus, Jésus, Jésus...»
Dans tous les cas, ça peut être une prière intérieure ou vocale.
Je suis heureux: «Jésus, Jésus, Jésus...»
J'ai de la difficulté à m'endormir:
«Jésus, Jésus, Jésus...»

✶ Je peux aussi utiliser le nom de MARIE
... comme l'enfant qui dit «maman»
avec une expression d'amour,
quand ça va bien;
dans un cri d'angoisse,
face au danger...

✶ Certains préféreront utiliser
la langue de Jésus (l'araméen)
qui semble plus expressive pour la prière:
Ainsi, je dirai:
YESHUA (au lieu de JÉSUS)
MYRIAM (au lieu de MARIE)
ABBA (= PAPA)
MARANATHA (= Viens, Seigneur)

∗ Les «Récits d'un pèlerin russe»
nous offrent une prière
qui revient sans cesse
dans la bouche du «voyageur»:
«SEIGNEUR, JÉSUS-CHRIST, FILS DE DIEU,
AIE PITIÉ DE MOI PÉCHEUR»

Cette prière est une profession de foi parfaite:
«Seigneur»: je reconnais Jésus
comme mon Maître.
«Jésus Christ»: ce maître est exceptionnel:
JÉSUS, c'est l'homme, le Sauveur,
qui a vécu en Galilée.
CHRIST: c'est le «consacré»
que Dieu a ressuscité.
«Fils de Dieu»: je reconnais que Jésus Christ
est vraiment Dieu.
«Aie pitié de moi, pécheur»:
Je précise ma relation avec Jésus Christ,
en reconnaissant ma condition de pécheur.
Jésus, c'est «mon» Sauveur:
j'accepte de me laisser sauver par lui.

C'est une belle prière, qui peut être répétée
en toutes circonstances.

> Ma respiration peut m'aider à prier
> parce qu'elle est, comme la prière,
> un phénomène d'accueil et de don.

✶ Que se passe-t-il dans la respiration?
J'aspire (j'accueille) l'air extérieur
qui pénètre dans mes poumons
pour pouvoir purifier mon sang.
Puis j'expire:
je rejette alors à l'extérieur l'air vicié
qui a nettoyé mon sang.
... et c'est ce qui me permet de vivre!

✶ Quelle belle façon de prier!
J'accueille Dieu avec ses dons (je respire):
Dieu vient alors changer mon cœur.
Puis j'offre à Dieu ma pauvre prière
(qui provient de mon cœur pollué)
... et c'est ainsi que ma vie intérieure
s'améliore!

Lorsque j'accueille Dieu,
c'est son « souffle de vie » que je reçois.
Chaque respiration
est comme une nouvelle création:
« Yahvé Dieu modela l'homme avec la glaise du sol. Il insuffla dans ses narines une haleine de vie et l'homme devient un être vivant. » (Gn 2, 7)

Je peux donc prier à partir de ma respiration
en accueillant d'abord Dieu:
« Seigneur, viens à mon aide »
puis je m'abandonne à lui:
« Que ta volonté soit faite »

Lentement...
je répète plusieurs fois
cette prière au rythme de ma respiration.

Je peux choisir d'autres formules
qui correspondent à ce que je vis:
EXEMPLES:
Seigneur, donne-moi ton amour.
— Aide-moi à pardonner.
Seigneur, j'ai besoin de toi.
— Sans toi, je ne peux rien faire.

Seigneur, envoie ton Esprit.
— Éclaire mes décisions.
Seigneur, tu peux me guérir.
— Je te donne mes impatiences.

PRIÈRES SANS PAROLES

> Une prière sans paroles,
> c'est une prière de «contemplation».
> Lorsque je contemple un paysage,
> je le laisse pénétrer par mes yeux
> jusqu'à mon cœur,
> pour en savourer la douceur,
> la paix, la beauté...

✶ Ainsi, je peux prier avec la NATURE:
Je peux contempler une marguerite,
une gerbe de fleurs, un érable, les nuages,
un coucher de soleil,
une hirondelle en plein vol,
un écureuil qui se déplace gracieusement...

Je contemple alors cette nature
avec un cœur rempli d'admiration
pour le Créateur
qui m'offre tant de merveilles.
Je peux même «imaginer» ces scènes
pour en faire une prière de contemplation.

* La MUSIQUE peut aussi m'aider à prier,
lorsque je me laisse bercer et caresser
comme par la voix du Seigneur.

* L'ICÔNE favorise la contemplation:
Une ICÔNE, c'est une «image»
qui nous vient d'Orient
et qui a des caractéristiques particulières.
Sa fabrication se fait dans un climat de prière
comme si le peintre
gardait contact avec le ciel
pour illustrer des thèmes religieux
comme le Seigneur, la Vierge Marie...

Le dessin est rempli de détails
qui favorisent la compréhension du sujet.
Parfois, il y a des mots grecs (souvent abrégés)
qui donnent des précisions
sur le sujet représenté.

Sur les vêtements de Marie,
il y a des étoiles qui nous montrent
l'aspect céleste du personnage,
en même temps qu'un guide pour notre vie.

L'artiste ne néglige rien
pour suggérer à notre contemplation
des motifs qui vont créer dans notre cœur
un monde de merveilles.
Il y aura des petits anges en action,
des couronnes,
des pierres précieuses,
des objets symboliques...

L'artiste peint des visages
qui ont l'air d'un autre monde,
comme s'il voulait nous faire goûter le ciel
qui se trouve dans leur cœur.

Une véritable icône est peinte
directement sur bois
avec une technique particulière.
Autour de nous, on voit surtout
des reproductions d'icônes:
Elles peuvent quand même nous aider à
contempler ce monde de mystère.

PRIÈRES BIBLIQUES

La Bible, c'est la Parole de Dieu:
c'est donc un livre privilégié
où l'on découvre le langage de Dieu.

✶ L'Ancien Testament utilise
DIFFÉRENTS STYLES de composition:
Il y a des textes historiques
qui racontent des événements.
Il y a des textes poétiques
qui conviennent
pour parler de sagesse et d'amour.
Il y a des contes
qui nous aident à comprendre
des vérités profondes...

Je peux lire ces textes, un peu chaque jour,
en étant à l'écoute du Seigneur
pour comprendre ce qu'il veut me dire.

Il est important de choisir
les extraits qui me conviennent,
où je peux trouver
nourriture pour mon cœur.

Je serai peut-être surpris
par la violence qui existe
dans certaines scènes de l'Ancien Testament.

Je dois toujours me rappeler
qu'il ne faut pas confondre
le pécheur et le péché,
et que la destruction du pécheur
symbolise l'incapacité de Dieu
de cohabiter avec le péché.

* Dans l'Ancien Testament,
il y a le livre des PSAUMES
qu'on peut privilégier.

Ce qui rend les PSAUMES importants
pour ma prière,
c'est que Jésus lui-même les a utilisés
et qu'il en savait plusieurs par cœur,
comme tous les Juifs de son temps.

Les PSAUMES, ce sont des «chants»
où l'on trouve les sentiments variés
du cœur humain.

Plusieurs psaumes
nous viennent du roi David.
Le psalmiste fait de Dieu
le centre de sa vie.
Il recourt à lui en toutes circonstances.

Parfois il exprime des sentiments de confiance:
«Yahvé est ma lumière et mon salut,
de qui aurais-je crainte?
Yahvé est le rempart de ma vie,
devant qui tremblerais-je?» (Ps 27)

Parfois c'est le désir d'aimer Dieu davantage:
«Comme languit une biche après l'eau vive,
ainsi languit mon âme vers toi mon Dieu.»
(Ps 42)

Parfois c'est la demande de pardon
après la faute:
«Pitié pour moi, Dieu, en ta bonté,
en ta grande tendresse, efface mon péché,
lave-moi tout entier de mon mal,
et de ma faute, purifie-moi.» (Ps 51)

Parfois c'est un appel désespéré:
«Des profondeurs, je crie vers toi, Yahvé:
Seigneur, écoute mon appel.
Que ton oreille se fasse attentive
à l'appel de ma prière.» (Ps 130)

Parfois c'est un merci au Seigneur:
«Il est bon de rendre grâce à Yahvé,
de jouer pour ton Nom, Très-Haut,
de publier au matin ton amour,
ta fidélité au long des nuits...» (Ps 92)

Comme le cœur humain ne change pas,
les PSAUMES demeurent toujours d'actualité.
Ainsi, ces prières de nos «ancêtres»
deviennent comme un répertoire de famille,
qui nous rend solidaires
dans la joie comme dans la peine.

✶ Dans le Nouveau Testament,
la présence de JÉSUS
avec ses paroles et ses gestes
devient une source intarissable
d'inspiration pour la prière:
c'est Jésus qui prend vie et m'interpelle:

JÉSUS, c'est le Bon Berger,
à la recherche de la brebis égarée
que je suis.

JÉSUS, c'est la vigne;
Dieu, le vigneron, m'émonde
pour que je porte beaucoup de fruits.

À la multiplication des pains,
c'est JÉSUS qui m'invite
à lui offrir ma pauvreté
(5 pains, 2 poissons)
afin qu'il s'en serve
pour faire des merveilles.

À la pêche miraculeuse,
c'est JÉSUS qui me demande
une confiance absolue en sa parole
plus qu'en mes moyens humains.

À l'occasion de nombreuses guérisons,
JÉSUS me rappelle
que lui seul peut me libérer totalement.

Pour ma prière,
je peux m'arrêter à ces textes évangéliques,
reproduire la scène dans mon imagination
en me mettant à l'écoute de Jésus
et en laissant monter dans mon cœur
les sentiments que ça m'inspire.

UNE PRIÈRE «STRUCTURÉE»: L'ORAISON

L'ORAISON, c'est une prière
d'une certaine longueur (une heure?)

Il est important d'«organiser» cette rencontre
si je veux qu'elle soit profitable.

Le «cadre» que je m'impose alors,
c'est une aide
qui ne doit pas brimer ma liberté.
La spontanéité a toujours sa place
dans la prière.

⋆ PRÉPARATION LOINTAINE
Je dois me préparer le CŒUR à l'avance
par des actes intérieurs d'amour
et de désir de rencontrer mon bien-aimé,
de sorte que, le moment venu de prier,
mon cœur sera prêt
pour entrer en dialogue.

Il est important de choisir un LIEU
où je pourrai prier en paix.
Si je peux m'organiser un «coin de prière»,
tant mieux.
Que la décoration soit sobre:
une icône? un lampion? une plante?
une image du Christ ou de la Vierge?

Il est bon de prévoir à l'avance le TEXTE
qui formera le cœur de ma méditation.
Ça peut être un texte de la Bible
ou un livre qui m'offre pour chaque jour
un texte de méditation.
Je vais dans la ligne où l'Esprit me dirige.

L'ESPRIT SAINT doit être le premier invité
à mon oraison
puisque c'est lui
qui remplit mon cœur d'amour
et l'aide à dire à Dieu ce qui convient.

✶ DÉBUT de l'oraison:
Il est important de débuter mon oraison
par un «signe» concret de mise en marche:
soit le signe de la croix,
qui me met en présence de la Trinité;
soit une prostration
qui m'aide à reconnaître ma pauvreté;
soit un chant? le Notre Père?...

Puis c'est l'ACCUEIL
de celui que je viens rencontrer.
Reconnaître l'amour de Dieu, sa tendresse,
sa disponibilité, sa bonté, sa délicatesse.
Lui dire que je suis heureux
d'être son enfant...

✶ CŒUR de l'oraison:
Je lis le texte que j'ai prévu.

Si c'est une lecture continue,
je lis la longueur qui me convient.
Ensuite, je reprends la lecture
en m'arrêtant à chaque mot qui m'interpelle
pour y découvrir ce que Dieu veut me dire.

Quand j'ai épuisé un mot ou une idée,
je poursuis la lecture...

S'il s'agit d'une scène évangélique,
j'en fais la lecture,
après quoi j'organise un «vidéo»(!)
où je suis acteur avec Jésus.

J'imagine le décor, l'environnement,
... et je laisse mon cœur exprimer
les sentiments qui l'animent.

Exemple: LA MULTIPLICATION DES PAINS.
J'imagine Jésus qui prêche à la foule.
J'observe la réaction des gens...
Je «vois» le jour qui baisse.
Je regarde les Apôtres qui paniquent
(«où trouver à manger...»)
Jésus vérifie leurs provisions
(5 pains, 2 poissons)
Les Apôtres regroupent la foule par équipes.
Jésus bénit les pains et les poissons.
Les Apôtres organisent la distribution
de la nourriture.
Tout le monde mange à sa faim.
Est-ce qu'on a partagé avec le voisin?
Qu'est-ce qu'on fait avec les restes?
Que disent les gens en retournant chez eux?

Dans mon «vidéo»,
je détaille les étapes... lentement,
en analysant
chacun des personnages impliqués.
Sans oublier mes réactions personnelles
lorsque je me vois à la place des Apôtres
ou parmi les participants dans la foule.
En faisant aussi l'application
dans mon quotidien...

* CONCLUSION de l'oraison:
Il est bon d'essayer d'identifier
la parole ou l'idée qui m'a le plus rejoint,
afin de la rappeler à ma mémoire
durant la journée,
pour m'en nourrir pleinement.

Pour terminer l'oraison,
je peux utiliser
le même procédé qu'au début:
prostration? chant? Notre Père?
signe de croix?...

Prière de demande: pour ou contre!

Certains sont mal à l'aise
face à la prière de demande:
ils y trouvent toutes sortes d'objections:

✶ OBJECTION:
Dieu connaît mes besoins
mieux que moi:
pourquoi alors lui faire
des prières de demande?

Si je fais des prières de demande,
ce n'est pas pour informer Dieu
de mes besoins,
mais pour que je prenne conscience
de ma pauvreté
tout en faisant un acte de foi
sur la capacité de Dieu de m'aider.

✶ OBJECTION:
Les plans de Dieu
sont fixés d'avance:
on perd donc son temps
à faire des prières de demande!

Depuis quand les plans de Dieu
sont-ils inchangeables?
Si Dieu est Amour,
il ne peut être figé dans son action.
Ce qui ne peut changer chez lui:
c'est qu'il veut mon bonheur,
et qu'il veut sauver tout le monde.
Mais pour la réalisation de son projet,
les moyens sont illimités et peuvent varier.

De plus, si je suis libre,
ma prière doit influencer Dieu.
Il ne peut pas rester indifférent
à mes demandes!

✶ OBJECTION:
Certains sont sous l'impression
que Dieu ne répond jamais
à leurs demandes.
Ils concluent que ça ne donne rien
de faire des prières de demande.

Il faudrait commencer par vérifier
s'il est vrai que j'ai vraiment prié!
Souvent, je «chiâle» contre Dieu
à cause de mes malheurs:
je m'imagine alors avoir prié,
et je suis surpris que Dieu ne m'écoute pas.

Il faudrait aussi examiner
la qualité de ma prière!
Est-ce qu'elle est vraiment
une prière de foi
par laquelle je fais confiance
à la réponse de Dieu,
ou si elle est un appel au Dieu-dépanneur
qui doit se hâter de livrer
ce que j'ai «commandé»?

Quoi qu'il en soit,
souvent, lorsque j'obtiens
ce que j'ai demandé,
j'oublie que c'est la réponse de Dieu,
et j'attribue ce qui m'arrive
plutôt au hasard
ou à mon habileté personnelle!

Pour Jésus, c'est clair:
il faut faire des prières de demande:
«Demandez et vous recevrez...» (Mt 7, 7)

«Tout ce que vous demanderez en priant,
croyez que vous l'avez déjà reçu,
et cela vous sera accordé» (Mt 11, 24)

Tout de même, Jésus nous prévient:
pour avoir la certitude d'être exaucés,
il faut demander de «bonnes choses».

Or, la seule «bonne chose», c'est l'Esprit Saint.
«... combien plus le Père du ciel
donnera-t-il l'Esprit Saint
à ceux qui l'en prient» (Lc 11, 13)

En fait, l'Esprit Saint,
c'est le dépositaire
de tous les dons qui sont nécessaires
pour ma sanctification:
Si je manque de patience,
je dois demander l'Esprit Saint.
Si j'ai besoin de sagesse, de courage...,
je dois demander l'Esprit Saint.
Si j'ai besoin d'aide pour prier,
je dois demander l'Esprit Saint.
Si je n'ai plus d'amour dans le cœur:
c'est l'Esprit Saint
qu'il faut demander.

L'Esprit Saint,
c'est lui qui fait la «livraison»
des dons de Dieu.
Il maintient sans cesse le contact
entre le ciel et la terre
pour transmettre à Dieu mes désirs.
et pour me rapporter
ses «cadeaux».

Comment Dieu répond à ma prière!

Si ma prière est faite avec foi
et qu'elle coïncide avec le projet de Dieu,
elle est toujours exaucée,
pas nécessairement telle que je l'ai formulée,
mais selon mes besoins,
que Dieu seul connaît.

Dieu me donne toujours
ce qu'il y a de meilleur pour moi.
S'il ne répond pas à l'une de mes prières,
c'est que ce n'est pas le temps d'y répondre
ou que c'est nuisible pour moi.

Quoi qu'il en soit,
ma prière n'est jamais perdue:
... Dieu me donne alors autre chose
dont j'ai besoin!

Si je prie «en couple» (ou en groupe)
pour une même intention,
ma prière est beaucoup plus puissante
sur le cœur de Dieu.
«Lorsque deux d'entre vous se mettront
d'accord pour demander quoi que ce soit,
cela leur sera accordé» (Mt 18, 19)

Si les parents utilisaient ce privilège,
et priaient en couple,
comme la vie familiale serait améliorée!

Difficultés qui éloignent de la prière

> Dans la prière, plus qu'ailleurs,
> dès qu'on rencontre des obstacles,
> on est porté à démissionner facilement,
> et l'on invoque toutes sortes de raisons
> pour se donner bonne conscience.

* DIFFICULTÉ:
JE N'AI PAS LE TEMPS DE PRIER.
C'est l'objection la plus sournoise
parce qu'elle clôt la discussion
et me dispense ainsi de prier.

Je sais pourtant, par expérience,
que lorsqu'une activité me tient à cœur,
je trouve toujours du temps
pour m'y adonner.
Les «gros monsieurs» très occupés
ont toujours du temps
pour leur saison de golf!

Les amateurs de sports ont toujours le temps
de suivre les matchs télévisés!

Si je ne trouve pas de temps pour prier,
c'est probablement que je ne comprends pas
l'importance de la prière,
et que mon intérêt est ailleurs,
sauf avec Dieu!

* DIFFICULTÉ:
J'AI TOUJOURS DES DISTRACTIONS.
Donc, ça ne donne rien de prier!
Quand je joue au nintendo,
quand je lis un livre passionnant,
quand un mordu du sport
regarde un match de hockey,
c'est possible d'éviter les distractions
durant un temps assez prolongé.

Pour la prière, c'est différent:
Le fait que Dieu soit invisible,
l'attention parfaite et constante
devient impossible.

C'est donc «normal» d'avoir des distractions
dans la prière,
pourvu que je ne les entretienne pas...

Dès que j'en prends conscience,
je les chasse «sans m'énerver».
Je recommence autant de fois
que c'est nécessaire.
Même si je ne fais que ça durant ma prière,
cette démarche est agréable à Dieu
... en même temps
qu'elle est un exercice utile
pour la maîtrise de mon imagination.

Si les distractions sont normales,
je n'ai donc pas à paniquer à cause d'elles,
mais je dois fonctionner avec elles.

✶ DIFFICULTÉ:
JE NE SENS RIEN QUAND JE PRIE.
Donc, il ne se passe rien...

Sentir la présence de Dieu,
ce n'est pas cela «prier».
Le vrai Dieu ne se rencontre que dans la foi.

Ma prière est parfaite (!)
lorsque je continue de prier
alors que je ne «sens» pas
la présence de Dieu,
mais que je garde la certitude
qu'il m'écoute.

Il faut savoir aussi
que la prière a des hauts et des bas.
Elle n'est pas toujours gratifiante:
Dieu peut permettre
des périodes de «sécheresses»
pour me conduire à une prière «adulte»
où la foi aura une plus grande place!

Prier n'est jamais une perte de temps!

✶ DIFFICULTÉ:
JE N'AI PAS LE GOÛT DE PRIER.
Mieux vaut alors faire autre chose!

La persévérance est importante dans la prière.
Je dois être fidèle à ma prière quotidienne
malgré tout!

Même si je ne fais qu'«être présent» à Dieu,
c'est valable...
N'est-ce pas une forme d'amour
que d'accepter de perdre du temps
pour la personne que j'aime.

✶ DIFFICULTÉ:
JE ME CONTENTE D'OFFRIR MA JOURNÉE À DIEU!

Faire mon travail en union à Dieu
c'est l'idéal auquel je dois tendre.
Mais ça ne suffit pas d'«offrir» ma journée
si, par la suite, je ne surveille pas
la qualité de mes paroles et de mes gestes.

Seule, la prière, peut m'aider à m'améliorer
par un contact continuel avec Dieu
qui me rappellera sans cesse
que je suis son instrument
pour faire régner autour de moi
la justice, la paix, le pardon, l'amour...

Cependant, prier,
c'est autre chose que travailler:
ça suppose un dialogue avec Dieu.
Si en soignant un malade,
je «parle» intérieurement à Dieu,
mon travail devient alors une prière...

Si je ne prends pas le temps
de prier régulièrement,
Dieu sera vite absent
de toutes mes occupations.

✶ DIFFICULTÉ:
À QUOI ÇA SERT DE PRIER!

La prière, ne réalise rien de matériel:
ça ne répare pas mon auto,
ça ne prépare pas mon souper,
ça ne coupe pas mon gazon...

Prier, c'est d'un autre ordre:
c'est une aventure d'amour...
Ça m'aide à conformer mon cœur
à celui de Jésus
pour raisonner et agir comme lui.

Ça me donne les mains de Jésus,
pour partager avec les démunis
et apporter ma collaboration.

Ça me donne les pieds de Jésus,
pour aller vers ceux
qui ont besoin de mon aide.

La prière m'aide à croire en l'impossible,
parce que Dieu est avec moi.

Si elle me referme sur moi-même,
ça signifie que je suis sur une fausse piste
et que j'entretiens chez moi des illusions
en cherchant à utiliser Dieu
pour mes besoins personnels,
au lieu de chercher dans la prière
une énergie nouvelle
pour mieux aimer mes frères et sœurs!

Je prie
pour devenir solidaire avec les autres
afin d'améliorer le monde
dans lequel je vis...

Table des matières

Boulanger inc.